BANANA DIARY

2024-2025

はなうた

はじめに

人々や経済がコロナ明けであらゆる意味でぶっこわれていて、地球もぶっこわれつつある、ある意味世界の終わりのこんな毎日、自由のないキツキツの人間社会のスタート……かと思いきや小さな希望が巨大な夢となっている場所もあちこちにあり、つまりはカオスの時代ですよね。
いい未来につながると思える新しい希望の芽が出てきたらそうっと大切に育てなくてはいけないから、そのために自分の目の曇りはなるべく取り払い、身を軽くして、なによりも健康ですごさなくてはいけません。
そのお手伝いが少しでもできたらいいな、と思っています。

私は飽きるほど自分の文章を読んでいるので、「メモのところ、文章なくてもいいのになあ、じゃまだなあ」と思ってるくらいなのですが、それでもこのDIARYのメモ欄の言葉の上にがんがんメモを取っていると、気持ちのいい単語が一瞬目に入ってきて、すっと風が吹いた感じがします。
あ、今、潮目が変わった、よし、今日はこれに乗っていくぞ、と小さく思うのです。
家に帰ればこのDIARYが自分を待っていて、予定の控えでもいいし、今日思ったことをひとことでも書いたり、映画のチケットを貼ったりすることができるんだ、そう思うだけでちょっと救われる、そういう物体にしたいなという気持ちがしだいに本気になっていきました。それもこれもあまりにも時代が悪いからですが。

この「BANANA DIARY」は今年までの5冊で終わります。でも私は、またいつかどこかでこういうことを始めると思います。
「どてらい奴らはおわらない　何度でもはじまる」
これは、町田康さんが町田町蔵だった頃に作った『どてらい奴ら』というアルバムの中でくりかえされる言葉です。
20代の頃から私は、きついなあ、と思うときいつもこの歌を大声で歌っていました。
終わらないのが「どてらい奴ら」なのかどうかはともかくとして、「人生でいちばん大切なものは日常生活である」をモットーに、言葉を使って、その日常生活の小さなお守りとなるものを作っていきたいと思います。小説かもしれないし、こういうものかもしれない。それだけが私にできる、時代に対する小さな反逆です。
小さいからどうか大目に見ていろいろ見逃してください。そしてよかったらこの小さい力を受け取ってください。

吉本ばなな

12 2023 December

MON	TUE	WED	THU	FRI	SAT	SUN
				1 仏滅	2 大安	3 赤口
4 先勝	5 友引	6 先負	7 仏滅	8 大安	9 赤口	10 先勝
11 友引	12 先負	13 大安	14 赤口	15 先勝	16 友引	17 先負
18 仏滅	19 大安	20 赤口	21 先勝	22 友引	23 先負	24 仏滅
25 大安	26 赤口	27 先勝	28 友引	29 先負	30 仏滅	31 大安

空からゆっくり降ってくるのは、今年を締めくくる優しい光。
走り抜けながら、味わう暇もなく包まれるのがいい。

1 2024 January

MON	TUE	WED	THU
1 赤口 元日	2 先勝	3 友引	4 先負
8 先勝 成人の日	9 友引	10 先負	11 赤口
15 仏滅	16 大安	17 赤口	18 先勝
22 大安	23 赤口	24 先勝	25 友引
29 赤口	30 先勝	31 友引	

他の月に食べるのとは絶対違うお餅のおいしさを堪能する。
お餅がきらいな人はお屠蘇でも。お酒も嫌いな人はみかんでも。

FRI	SAT	SUN
5 仏滅	6 大安	7 赤口
2 先勝	13 友引	14 先負
9 友引	20 先負	21 仏滅
6 先負	27 仏滅	28 大安

2 2024 February

MON	TUE	WED	THU
			1 先負
5 先勝	6 友引	7 先負	8 仏滅
12 先負 振替休日	13 仏滅	14 大安	15 赤口
19 仏滅	20 大安	21 赤口	22 先勝
26 大安	27 赤口	28 先勝	29 友引

厚くなったり薄くなったり透き通る、外の水に張る氷の嬉しさ美しさよ。

FRI	SAT	SUN
2 仏滅	3 大安	4 赤口
大安	10 先勝	11 友引 建国記念の日
6 先勝	17 友引	18 先負
3 友引 皇誕生日	24 先負	25 仏滅

3 2024 March

MON	TUE	WED	THU
4 赤口	5 先勝	6 友引	7 先負
11 先負	12 仏滅	13 大安	14 赤口
18 仏滅	19 大安	20 赤口 春分の日	21 先勝
25 大安	26 赤口	27 先勝	28 友引

生花店の店頭に並ぶチューリップの、色と種類を全部抱きたい

FRI	SAT	SUN
先負	2 仏滅	3 大安
仏滅	9 大安	10 友引
5 先勝	16 友引	17 先負
2 友引	23 先負	24 仏滅
先負	30 仏滅	31 大安

4 2024 April

MON	TUE	WED	THU
1 赤口	2 先勝	3 友引	4 先負
8 先勝	9 先負	10 仏滅	11 大安
15 先負	16 仏滅	17 大安	18 赤口
22 仏滅	23 大安	24 赤口	25 先勝
29 大安 昭和の日	30 赤口		

全てが花霞のなかに紛れる。別れの淋しさ、出会いの勢い。

FRI	SAT	SUN
仏滅	6 大安	7 赤口
2 赤口	13 先勝	14 友引
9 先勝	20 友引	21 先負
6 友引	27 先負	28 仏滅

UPM142
555
0097

5

2024
May

MON	TUE	WED	THU
		1 先勝	2 友引
6 赤口 振替休日	7 先勝	8 仏滅	9 大安
13 先負	14 仏滅	15 大安	16 赤口
20 仏滅	21 大安	22 赤口	23 先勝
27 大安	28 赤口	29 先勝	30 友引

雨の日々が始まる前に、急いで風と光と若草の香りを浴びに行こう

FRI	SAT	SUN
先負 法記念日	4 仏滅 みどりの日	5 大安 こどもの日
0 赤口	11 先勝	12 友引
7 先勝	18 友引	19 先負
4 友引	25 先負	26 仏滅
1 先負		

6 2024 June

MON	TUE	WED	THU
3 赤口	4 先勝	5 友引	6 大安
10 先負	11 仏滅	12 大安	13 赤口
17 仏滅	18 大安	19 赤口	20 先勝
24 大安	25 赤口	26 先勝	27 友引

濡れる葉、壁、大地。その色のはっとするような艶やかさよ。

FRI	SAT	SUN
	1 仏滅	2 大安
赤口	8 先勝	9 友引
4 先勝	15 友引	16 先負
1 友引	22 先負	23 仏滅
8 先負	29 仏滅	30 大安

7 2024 July

MON	TUE	WED	THU
1 赤口	2 先勝	3 友引	4 先負
8 友引	9 先負	10 仏滅	11 大安
15 先負 海の日	16 仏滅	17 大安	18 赤口
22 仏滅	23 大安	24 赤口	25 先勝
29 大安	30 赤口	31 先勝	

靴下を脱いで、サンダルを履いて。歌いながら雲の下を目指して歩こう。

FRI	SAT	SUN
仏滅	6 赤口	7 先勝
2 赤口	13 先勝	14 友引
9 先勝	20 友引	21 先負
6 友引	27 先負	28 仏滅

8 2024 August

MON	TUE	WED	THU
			1 友引
5 友引	6 先負	7 仏滅	8 大安
12 先負 振替休日	13 仏滅	14 大安	15 赤口
19 仏滅	20 大安	21 赤口	22 先勝
26 大安	27 赤口	28 先勝	29 友引

涼しい部屋から見る強い光と影。
夕方になったら外に出よう、と呪文のようにつぶやいて

FRI	SAT	SUN
先負	3 仏滅	4 先勝
赤口	10 先勝	11 友引 山の日
6 先勝	17 友引	18 先負
3 友引	24 先負	25 仏滅
先負	31 仏滅	

9

2024
September

MON	TUE	WED	THU
2 赤口	3 友引	4 先負	5 仏滅
9 友引	10 先負	11 仏滅	12 大安
16 先負 敬老の日	17 仏滅	18 大安	19 赤口
23 仏滅 振替休日 30 大安	24 大安	25 赤口	26 先勝

植物が一気に秋に向かっていく勢いは、決して枯れていくだけのイメージではない。
むしろ新しいサイクルが始まる感じだ。

FRI	SAT	SUN
		1 大安
大安	7 赤口	8 先勝
3 赤口	14 先勝	15 友引
0 先勝	21 友引	22 先負 秋分の日
7 友引	28 先負	29 仏滅

10 2024 October

MON	TUE	WED	THU
	1 赤口	2 先勝	3 先負
7 先勝	8 友引	9 先負	10 仏滅
14 友引 スポーツの日	15 先負	16 仏滅	17 大安
21 先負	22 仏滅	23 大安	24 赤口
28 仏滅	29 大安	30 赤口	31 先勝

そろそろ手放そうか、今年のこれまでを。
目の前に展開する新しい季節にただ酔おう。

FRI	SAT	SUN
4 仏滅	5 大安	6 赤口
1 大安	12 赤口	13 先勝
8 赤口	19 先勝	20 友引
5 先勝	26 友引	27 先負

11 2024 November

MON	TUE	WED	THU
4 先勝 振替休日	5 友引	6 先負	7 仏滅
11 友引	12 先負	13 仏滅	14 大安
18 先負	19 仏滅	20 大安	21 赤口
25 仏滅	26 大安	27 赤口	28 先勝

自分を温めてくれるものたち全てに、最大の感謝を。ていねいな扱いを。

FRI	SAT	SUN
仏滅	2 大安	3 赤口 文化の日
大安	9 赤口	10 先勝
5 赤口	16 先勝	17 友引
2 先勝	23 友引 勤労感謝の日	24 先負
9 友引	30 先負	

12 2024 December

MON	TUE	WED	THU
2 赤口	3 先勝	4 友引	5 先負
9 先勝	10 友引	11 先負	12 仏滅
16 友引	17 先負	18 仏滅	19 大安
23 先負	24 仏滅	25 大安	26 赤口
30 仏滅	31 赤口		

今年1年、どんな曲を聴いてきたかふりかえる。いろんな場面がよみがえってくる。いったい来年はどんな曲を聴くのだろうか。

FRI	SAT	SUN
		1 大安
仏滅	7 大安	8 赤口
3 大安	14 赤口	15 先勝
0 赤口	21 先勝	22 友引
7 先勝	28 友引	29 先負

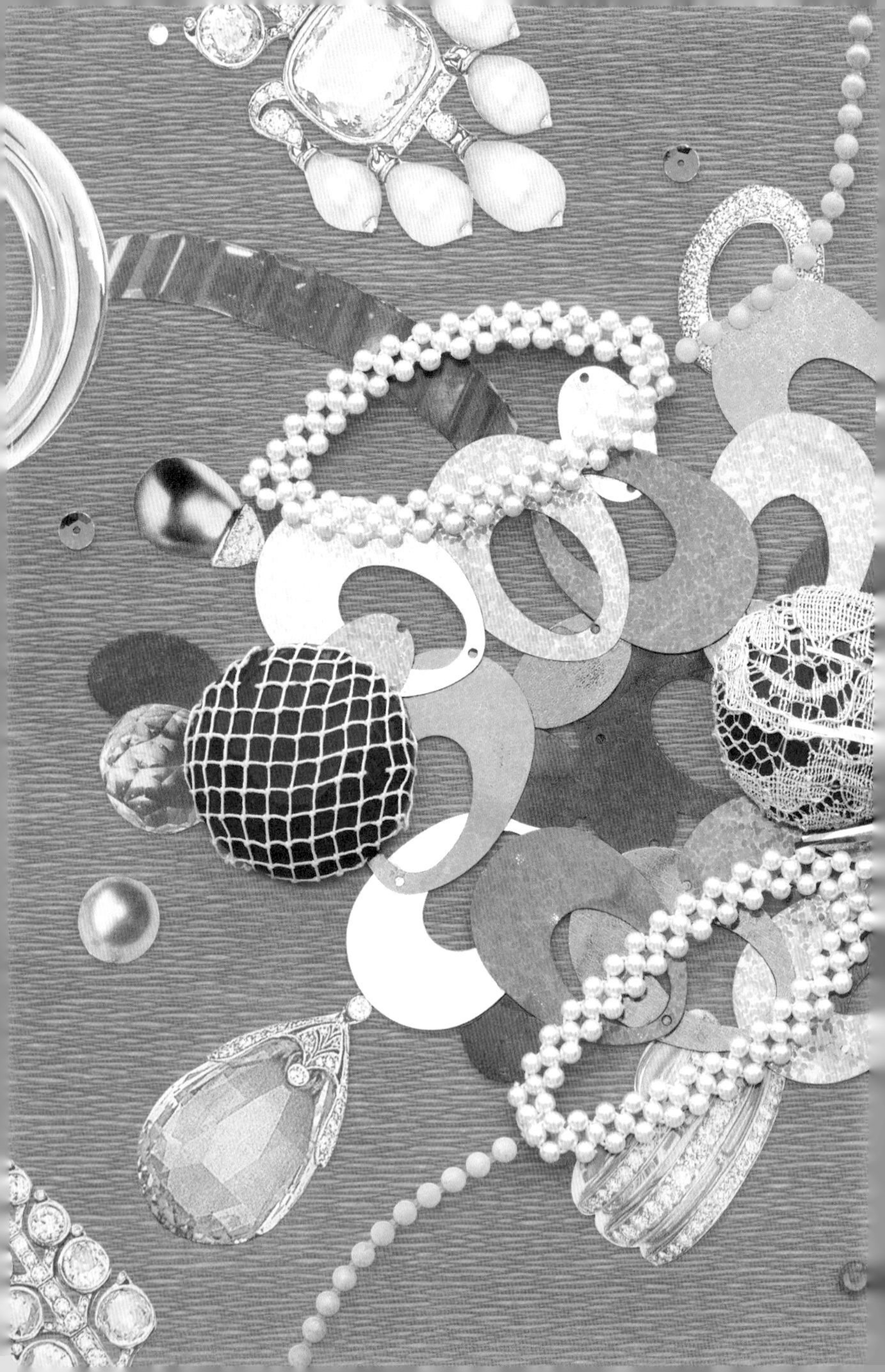

1 2025 January

MON	TUE	WED	THU
		1 先勝 元日	2 友引
6 赤口	7 先勝	8 友引	9 先負
13 先勝 成人の日	14 友引	15 先負	16 仏滅
20 友引	21 先負	22 仏滅	23 大安
27 先負	28 仏滅	29 先勝	30 友引

せっかくだから、なにかひとつ新しくしよう。
別れるものとはあっさりと別れよう。

FRI	SAT	SUN
3 先負	4 仏滅	5 大安
10 仏滅	11 大安	12 赤口
17 大安	18 赤口	19 先勝
24 赤口	25 先勝	26 友引
31 先負		

2 2025 February

MON	TUE	WED	THU
3 赤口	4 先勝	5 友引	6 先負
10 先勝	11 友引 建国記念の日	12 先負	13 仏滅
17 友引	18 先負	19 仏滅	20 大安
24 先負 振替休日	25 仏滅	26 大安	27 赤口

かっちりした長靴を履いて。どんなに降ってもすべらない決心をして。
あとはただ雪と遊ぶ。ちょっと雪が怖くなるくらいまでずっと。

FRI	SAT	SUN
	1 仏滅	2 大安
仏滅	8 大安	9 赤口
4 大安	15 赤口	16 先勝
1 赤口	22 先勝	23 友引 天皇誕生日
8 友引		

3 2025 March

MON	TUE	WED	THU	FRI	SAT	SUN
					1 先負	2 仏滅
3 大安	4 赤口	5 先勝	6 友引	7 先負	8 仏滅	9 大安
10 赤口	11 先勝	12 友引	13 先負	14 仏滅	15 大安	16 赤口
17 先勝	18 友引	19 先負	20 仏滅 春分の日	21 大安	22 赤口	23 先勝
24 友引	25 先負	26 仏滅	27 大安	28 赤口	29 先負	30 仏滅
31 大安						

眠りの中に、夢の世界に、少しずつ春が忍び込んでくる。
そのしっぽをつかまえたりせずに、今は逃がしてやろう。
待っていよう。向こうから来るのを。

ステップのひとつひとつが、地面をなでていく。鼻歌の音符のひとつひとつが、空気を明るくしていく。もしそんなふうに生きられたら、なんにもしていなくてもその人は周りの人にとってなくてはならない偉大な存在になる。

ごしごしと床を拭き、部屋の空気をすっかり変える。吸いこむ空気の新鮮なことといったら。

あるいは、そうじなど全くしないまま音楽をかけて踊り狂う。砂ぼこりで床はざらざら。それでも部屋が明るくなる不思議を知る。

こんなにもいろんな幸せへの道があるなんて、と世界の成り立ちに畏怖に似た気持ちを抱く。

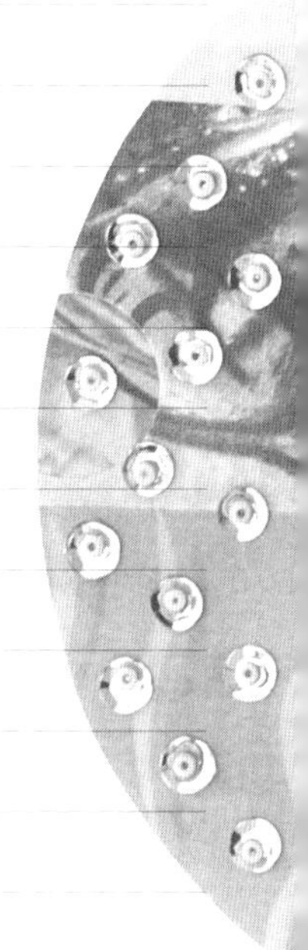

雨が街に落ちると、みんなが空を見上げる。曇った柔らかい色の空を。
洗濯もの干してきちゃった、傘持ってない、どうする？　帰る？　予報では曇りと言ってたのに！
そんなつぶやきがひとつになって創り出す、降り出した雨と街の人たちの世界。

情報がたくさんある、こんなにも便利な世の中だからこそのんびりと、
これからある食事会の店の下見に行ったりしてみたい。そういうむだ
な手間をかけてみたい。
やっぱりここにしようか、やめようか、あれこれ頼んで考えながら。
近い未来の、愛する人たちの幸せな時間のふくらみのために。

強い風の中にただ立つと、めちゃくちゃになる髪の毛といっしょに自分の中のなにかが踊り始める。

まだこんな力が残っているのかと驚くほど激しく。

アイロンがかかったようにパリッと干されたＴシャツを腕に抱き止めるときって、かわいらしいものをそっと抱いているようだ。

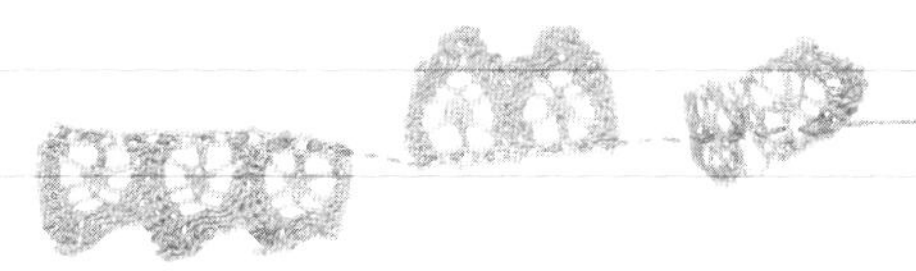

太古の昔から人は空を見上げた。嬉しいときも悲しいときも。
数えきれないまなざしのひとつに自分も参加している。
そう思うと、人生の果てしない孤独は薄れる。

大切なカップが割れるとき、かけらといっしょに思い出が飛び散る。

それをひとつずつ拾って、お別れをする。

人と人だって、きっと同じだ。

お菓子からお茶へとむだなく流れる時間を、私たちの体はもともと知っている。

知っていることを作法にしただけなのだ。いつだって偉いのは作法ではなくって、世界のほうなのだ。

それを知ってからのお手前は深くなる。

鼻歌を歌いながら、いろんなことを乗り越える。手も足もみんなつかって、体は必死でボルダリングのように人生の壁を登っていても、歌だけは歌っている。登り切った先の景色がいまいちでも気にしないで、ご機嫌でいよう。

どんぐり、さんご、貝殻。見た目がいいだけじゃだめ、すべすべと持ちやすいのがいい。
ポケットにいれて、旅の友とする。そのうちどこかにいってしまう、そのくらいの軽い気持ちで。握りしめたり、なくさないように気をつけたりしない。人生の中で一瞬、守り守られ寄り添った。だいじだったけど、また別れていくお守り。

なにかに夢中になっているときは、みんな子どもの顔になる。その時間が多ければ多いほど、幸せな人生になるに違いない。

全く姿を変えた卵は、ふんわり膨らんで別の力や味を発揮しだした。
こんな魔法を毎日見ることができるなんて、この世って信じられない
くらいすてき。

丘っていつも、向こう側の楽園を期待させる。

虹っていつも、天にかかった鳥居を思わせる。

生きていた頃の面影を宿すドライフラワー。

幽霊のような、精霊のような。

愛しいような、切ないような、暗いような。

人生はいつも重い。だからこそ軽みの味つけで真ん中をのしのしと歩く。

冬の匂い、あの枯葉のような神聖な香り。都会ではどんどん薄れていく。でもよく嗅いだら、確かにまだある。心に感じる隙間さえあれば。

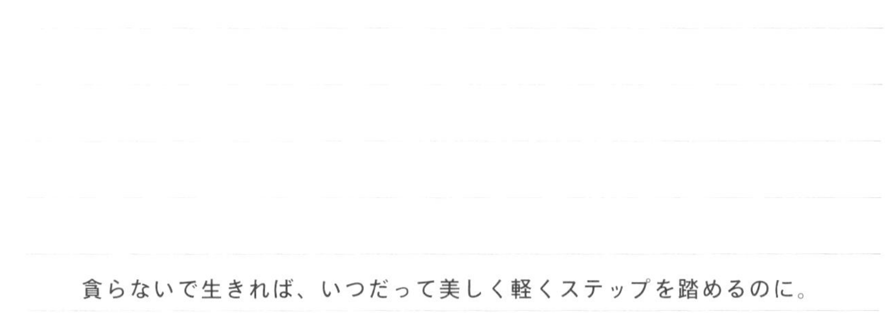

貪らないで生きれば、いつだって美しく軽くステップを踏めるのに。

甘いみかんを当てたら嬉しくて、あえてゆっくり食べる。

選びながらみかんと話しあう時間もすでに甘かった。

合う靴とならどこへでも歩いていける。それはもう相棒と呼べるものだ。人生の時を大切にいっしょに過ごそう。疲れたときには支え合おう。

たくさん売っているおもちゃの中を、子どもたちが選べなくて興奮しながら見て回っている。永遠に変わらない美しい光景。これがどんぐりや貝殻だってきっと同じ、太古からのかわいい景色。

夜遅い時間にちょっとだけ持つおつまみタイム。その自由な感じは深海くらい広大だ。たとえ翌朝、顔がどんなにむくもうとも。むくみはまた癒える。大事なのは広さのほうだ。

好きな人が好きな人をほめると、なぜか胸が温かくなる。

そうでしょう、とたくさんうなずきたくなる。

西陽と紅葉の組み合わせは祝福のよう。
神様の歌う歌の楽譜の音符。

飛行機が青空の中光っている。なんときれいな形だろうか。

音がうるさいとか、落ちたらどうするとか、そんな文句も一瞬だけ消える。

人類と自然の壮大なコラボレーション。

違う種類に生まれてきたのに、今ここで心と身を寄せ合う猫や犬と私の奇跡の通じ合い。同じくらい互いを好きだと思いながら近くにいるなんて。愛だけが共通の言葉だなんて。

雪景色が広がり、見ているだけでひたすらに目が休まる。いつもの世界を覆いつくす白にすうっと吸い込まれる。

今から何食べる？　何して遊ぶ？　その会話。一日を生き抜いた人たちが急に生き返る瞬間の輝き。

小さい子が制服を着て電車に乗ると、周りの大人はみんな少し微笑む。
降りるときちょっとだけ場所を開けてあげたり。
そんなことはおかまいなしに、親切には全然気づかないで子どもはさ
くさく降りていく。そういう街がいちばんいい。

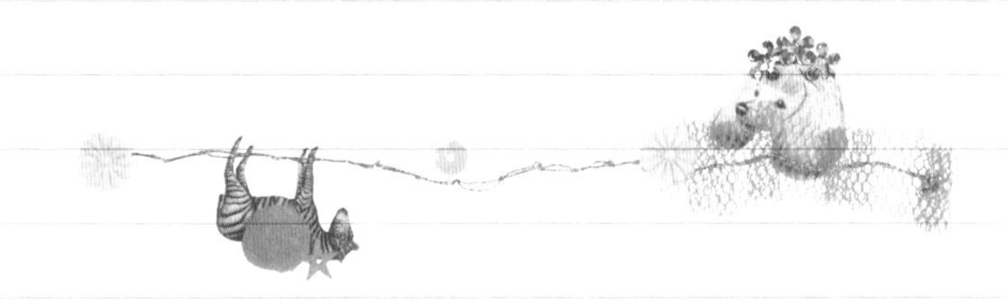

音楽をかけると部屋の空気が動く。その美しい旋律の起こす風のなめらかさ。決して実際には吹いていないのに、確かに感じることができる喜び。

花が枯れても、もう少しだけ窓辺に置いておく。この世に咲いたとき
の最後の夢を少しでも長く見ておくれよ、と。

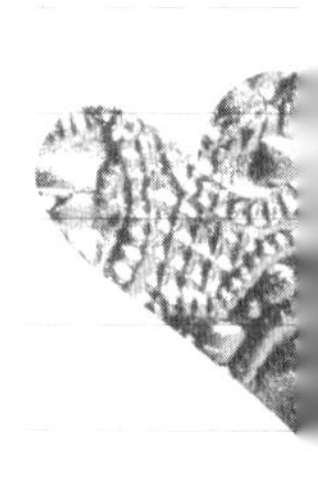

ぐつぐつの手前でふつふつ煮える鍋。太古の昔から人が飽きることなく囲んで眺めたもの。同じように心を動かすもの。

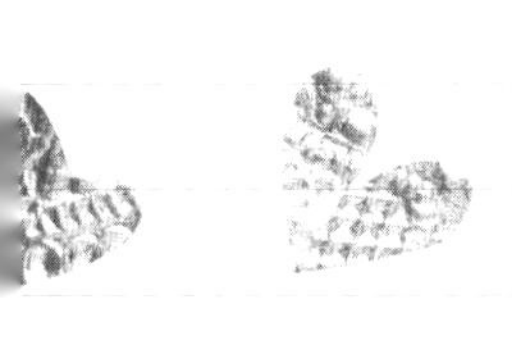

港の近くを歩くとき、みんな視線が少し夢見てるみたいになる。カップルはより優しく手をつなぐ。きっとこれまで別れた恋人たちの思い出の切なさが、そっとそこに漂っているのだろう。

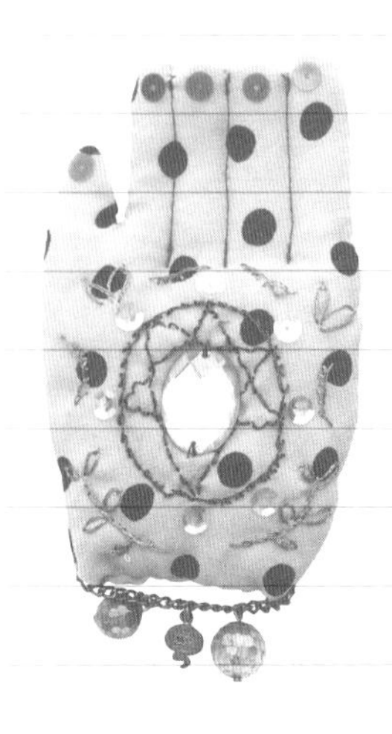

身を寄せ合って座る電車の中での会話は、かまくらの中のひそひそ話みたいでかわいい。

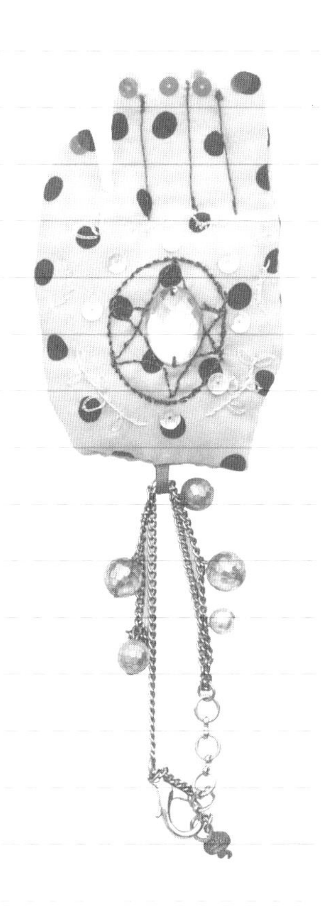

花もないのに香る、かすかな春の気配をみんなが感じている時期は、

ほんの少しの陽気さが心に忍び込んでいて、街をゆく人たちの笑顔が

今にも踊りだしそうに見える。

枯れた枝が青空に映えるのを見るとき、必ずコートのポケットに手が入っている。体ってちゃんと覚えていてくれる。いつもいっしょに踊っている。

梅がひとつずつ、日々まばらに咲いていく。あちこちの枝にばらばらに咲くのにいつ見ても完璧に美しい。
どんなふうに計算しても、こんな美しく配置することはできない。人間は決してかなわない。だから謙虚に、謙虚に。

たった一分、目を閉じて、他のことを何もしない。それだけで立派な瞑想になり、眠気も取れるし落ち着ける。体と心は手をいつもつないでいる。

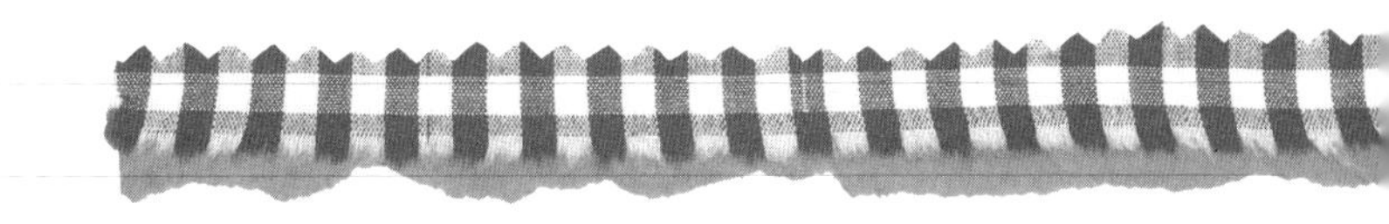

熱いお茶の湯気の向こうに、幸せな日常が見えかくれする。お茶の香りと共に精気を吸い込む。

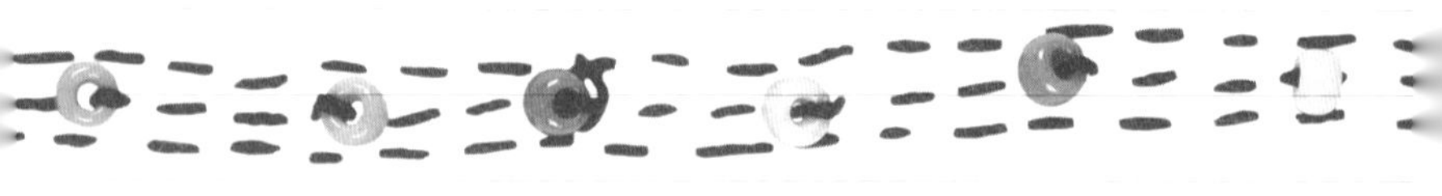

花粉でむずむずする鼻や目の中にも、春を感じる力が立ち上がってくる。かぎわける、その力に満ちた甘い空気を。

毎日の中に自由はたくさんある。選びとりさえすれば。今すぐ。水を飲む、風呂に入る、窓を開ける。なんでも快い方へ顔を向けて。

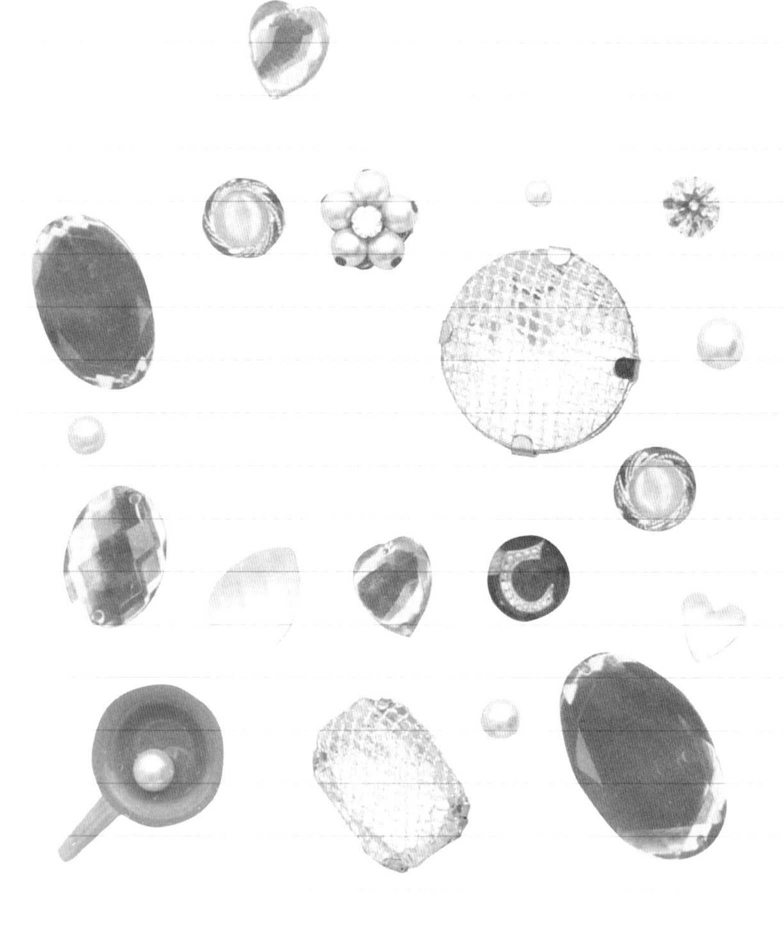

きれいな水がただ流れている音を聴いているだけで、いっしょに流れていくなにか。そうか、それを心にためていたんだな、と初めて気づく。

ホームで去っていく電車の中の人に手を振る。また明日ね、また来週ね。
でもほんとうにまた会えるかどうか、誰にもわからない。だから心を
込めて手を振るしかできない。

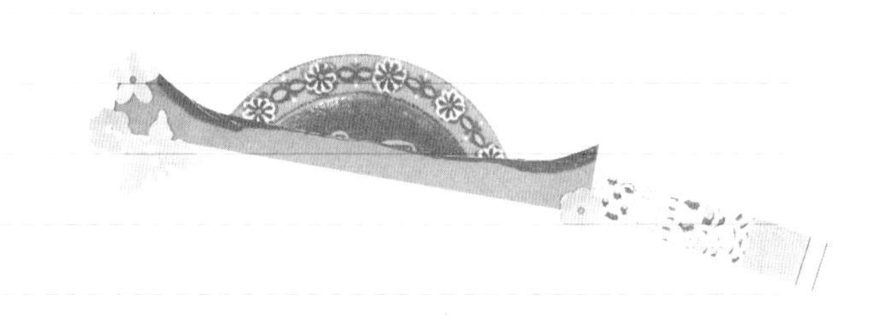

嘘のない人と会うと、心になにかが灯る。それはきっとその人のたくさんの辛い夜が作った灯りだから、消さないように大切に抱く。

曇っている空にこそ、桜のピンクが映える。全てが淡い季節のぼんやりした甘さはお菓子のようだ。

お皿の上のものを、ゆっくりと食べたいと思う。この時間よ過ぎないでと思う。そんな気持ちになる食事を毎日していたら、恐れるべきものはなにもない。

家がきっと家の中の空気を守ってくれている。帰りを待っていてくれる。外出中にふとそう思える、そんな生きている感じがあるところに住むようにしよう。

いつもの道を音楽を聴きながら歩いているときに、曲が変わる瞬間。
周りの人からは全く違いが見えなくても、自分の心の中はがらりと変わる。こんなありふれたことが外側と内側について何かを教えてくれる。

いつもそばにあったポーチを、旅先でうっかり失くしてしまう。
あんなにいつも触れたものにもう触れなくなる、二度と。
そして人は別のポーチに慣れていく。同じように大切なものとして育てていく。
その小さな過程の中に、とてつもなく大切なものが潜んでいる。

まるで夏のような日、半袖の人が出てくるような強い光の日。

私たちはみんな同じ夢を見ている、そんな感じがする。

空の向こうのほうは明るくて、こちら側は暗いグレーの雲が覆っている。

その下にいる人たちの気持ちもきっぱり分かれている。

見える範囲でさえこうなのだから、世界中の人たちのことなんて、ほんとうにはわかるはずがない。

でも、いろんな天気の同じ空の下にいることだけは、いっしょだ。ひろびろと考えることさえできたら。

亡くなった人や動物の写真を見ることは、痒いところを痛くなるまでかいてしまうのと似ている。もっと痛くなりたい。止められない。血のように涙が出るまで、かいてしまおう。

夜の力が人を圧迫するとき、人は歌い、踊って闇を照らそうと思う。

自分の放つ光で、ここにいることを知らせようとする。

鼻歌だけが心を救ってくれる。

旅に出る前の日、突然日常が輝かしいものになる。コップも犬もベッドも。いつもの慣れたもの全部が愛おしくなる。だから人には旅が必要なのかもしれない。

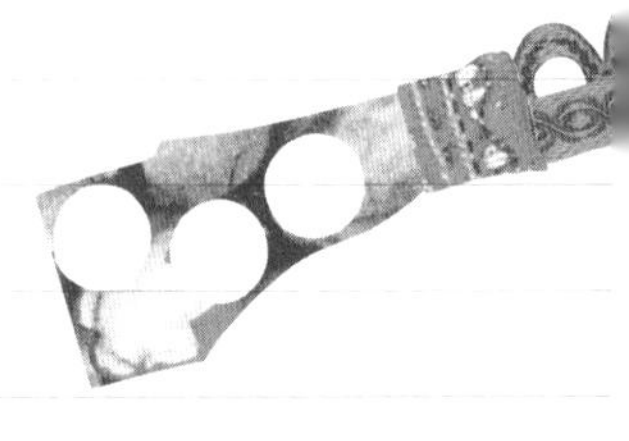

雲が遠くへ連なっているとき、心もその向こうへ泳いでいく。

でもその先は地図の上の国ではない。

よく知っているのに今の人生では行ったことがない、光の場所だ。

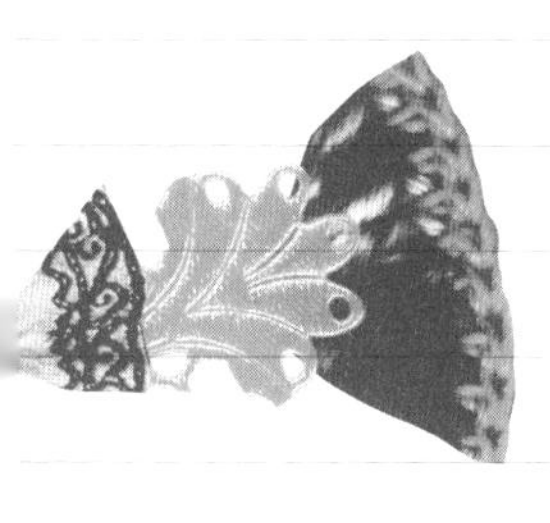

自分の中で「今日はこれをしたいな、これが着たいな、これが食べたいな」と思ったら、「でも」が出てくる前に動いて叶えてしまう。それが光を得る大切な第一歩。

真っ暗な部屋の中で思う、太陽の光、自由な明日。

それはどんな時代にも人を歌わせてきた力。

ノリではだめ、必然でないと風は吹かない。その風が甘く優しく、思いのほか遠くに広がってはいかない。

遺跡に立つとき、ここで同じように食べて飲んで排泄して歌って踊って悩んで笑っていた、太古の人の心を思う。そこに思いが重なるとき、自分の中に人としての根っこがよみがえっている。

波打ち際で波とダンスする。波も楽しんでいるように思う。裸足の足の下の砂も、マッサージされて喜んでいる。地球との対等な関係。

ゴリ押しやがむしゃらなど不自然をいっぱいやってみると、逆にわかってくる。自然に宇宙が動くとき、風が吹くとき、それといっしょに動くべきとき。

もう今はこの世にいない人がたまに夢の中にやってくるとき、空間は
白く光っている。光の中にきれいな花を送ろう。向こうから見たら、
「君はたいへんだね、今はこちらで楽だよ」というばかりなのだろう
けれど、それでも。

小鳥が手の中にいるように、大切に、柔らかく自分の人生を抱こう。

小鳥が小さな体で大きく歌うように、自分の声で堂々と話そう。

肌寒く感じたら、赤ちゃんに靴下をはかせるような気持ちで、自分の

肌を布で覆ってあげよう。布の中でのびのびと肌が休めるように。

ただただ力を抜いて、クラゲみたいになって、きらきら光る波の上に浮かぶ。なにもかも別にどうでもいいや、今生きてるし、と思う。そこからまた気が向いたら動けばいいやって。

雪と同じように、大雨も景色を変える。いつもの世界が雨の分厚いヴェールを通してにじんでいる。いつもの世界なんて仮のものなんだと思う。そしてまた必ず晴れはやってくる。そのつど気持ちの色も変わる。心はいつだって世界といっしょに歌っているのだ。

最後はひとりぼっち、ひとりで死と踊る。
そう思ったら、今の全てが幸せで楽しくて、その日がなるべく遅いことを願う。
そのときになったら、もう踊り疲れたからそろそろいいか、と心から思ってフロアをそっと去りたい。いちいちみんなに「先に帰るね」とか言わないで。

出ていない噴水の池を見ると少し淋しくなって、そして心に描いた噴水の輝きの美しさにため息が出る。きっとまた虹を作ってくれるだろうと思う。

人なんて苦手なのだけれど、廃墟を見ると少し悲しくなる。いつかその場所で生活や活気があふれていたときがあったのだな、と。それが心の中にある唯一の人類愛の証。

湿度で蒸し蒸しの街で、みながいらいらしているときでもなぜかごきげんな、踊るように歩いている人を見るとそれだけで心がゆるむ。

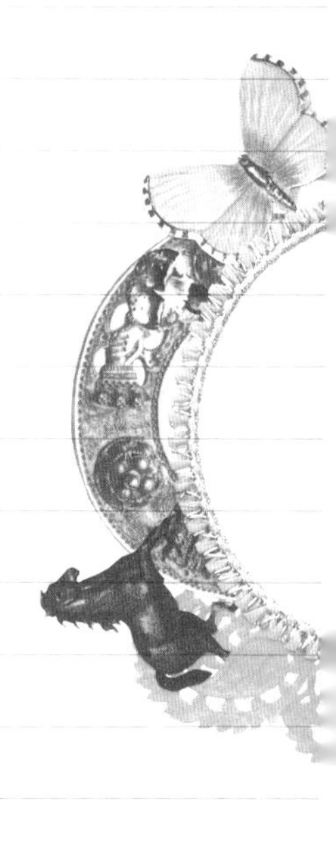

雨が止んで、空が明るくなって、雲の合間から光がもれて、世界がきらきら輝くとき、それをくりかえして時は流れていく。知ってる？
体を持っていられる時間に限りがあることを。だからよく見ないと、毎回目に焼きつけないと。

朝のフレッシュな空気の甘い匂い。DNAが知っている、生きるすばらしさの香り。

蓮がぐんぐん伸びて、つぼみをつける。誰にも教わっていないのに、
頼もしく育っていく。なにか信じていいことがそのなかに入っている
ように思う。

旅先でめぐりあう好きなものは、そのときしかない空気の中で光って見える。そして安くてその場しのぎと思ったものでも、旅の思い出があるから意外に何年も使ったりする。

人は人のイメージ全体を見ている。服の色や形はそれを強化するだけ。

だからまずイメージを持ってから自分を飾っていくといい。

人それぞれの幸せの形が全然違っても、遠くで人の喜びをそっと微笑みながら見ることはできる。近くに来て同じ形になろうよ、と強く誘われても、ううん、私はこっちでいい、と手を振ればいい。

しもやけになりそうなくらいにほほが冷たくても、外に出たい。そういうときがある。きりっとしたなにかが必要なのだ。ああだこうだ言わずに、飛び出していこう。

帰ってきたらひたすら温めて地上のめりはりを知ろう。

楽しくない、だからちょっと寝てみる。起きてすっきりしても、まだ楽しくない。お腹が減ってなにか食べようとする。でもなにを思い浮かべてもうきうきしない。そんなときこそが、今している全てを見直すチャンスのとき。

遠くの雲に向かって声を出してみる。いつのまにか死んだ愛する人たちに話しかけるときの優しい声になっている。

空や風や光の具合が美しくて世界が歌っているように思うとき、細胞もそのメロディーにのっている気がする。閉ざすことができるのは人の心だけ。すみずみまで踊らせてあげたい。誰もが短い期間しか世界といっしょに踊れないのだから。

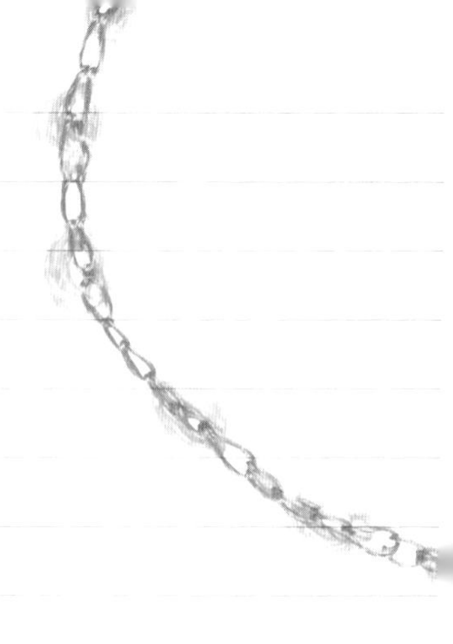

別れの痛みがじょじょに癒えていくとき、なぜか懐かしい音楽みたいなものが聴こえてくる。ひとり歌うときには、別れた人の心にも音符が飾られるのだろう。

ひとりで持ちきれないなにかは、散らすために他の人に話してしまう。

ひとりで抱えきれない人物は、みんなで分け持って受け流す。

人類の知恵はそういうときに生まれる。

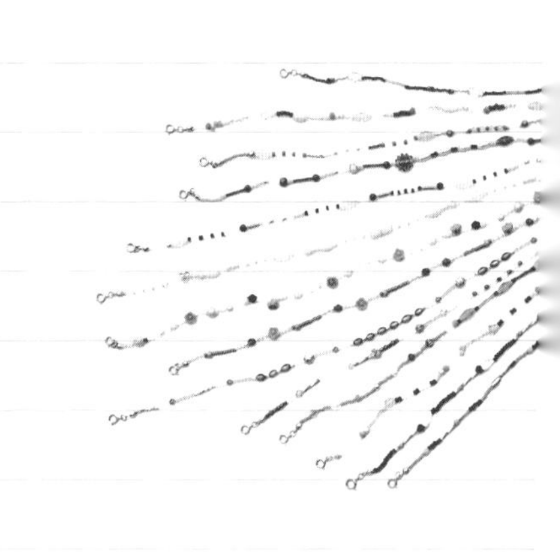

他の人になんてわからない、わかってたまるか。

え、そんなことまでわかってくれるなんて、涙が出るよ。

その両方がこの世には存在して、合わさるとやがて軽やかな鼻歌が生まれる。人として生きるためのたくましい歌。

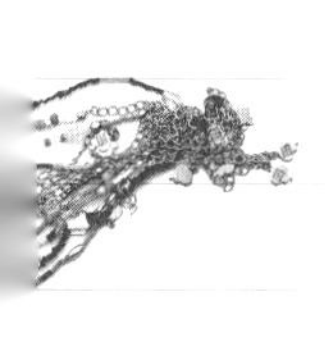

こだわってこだわってつめてつめて、そのあとそれをみんな捨てて捨てて。
裸足になって歩いていく、いつのまにか足がステップを踏んでいる。
自由の歌を歌っている。

ひとり暗闇をゆく。鼻歌だけを友として。
やがて目が慣れてくると、同じように歩む仲間たちがうっすら見えてくる。
なれあうことなく、ただ笑顔を交わしながら自分だけの道を進んでいく。
体が動く限り、命ある限り。

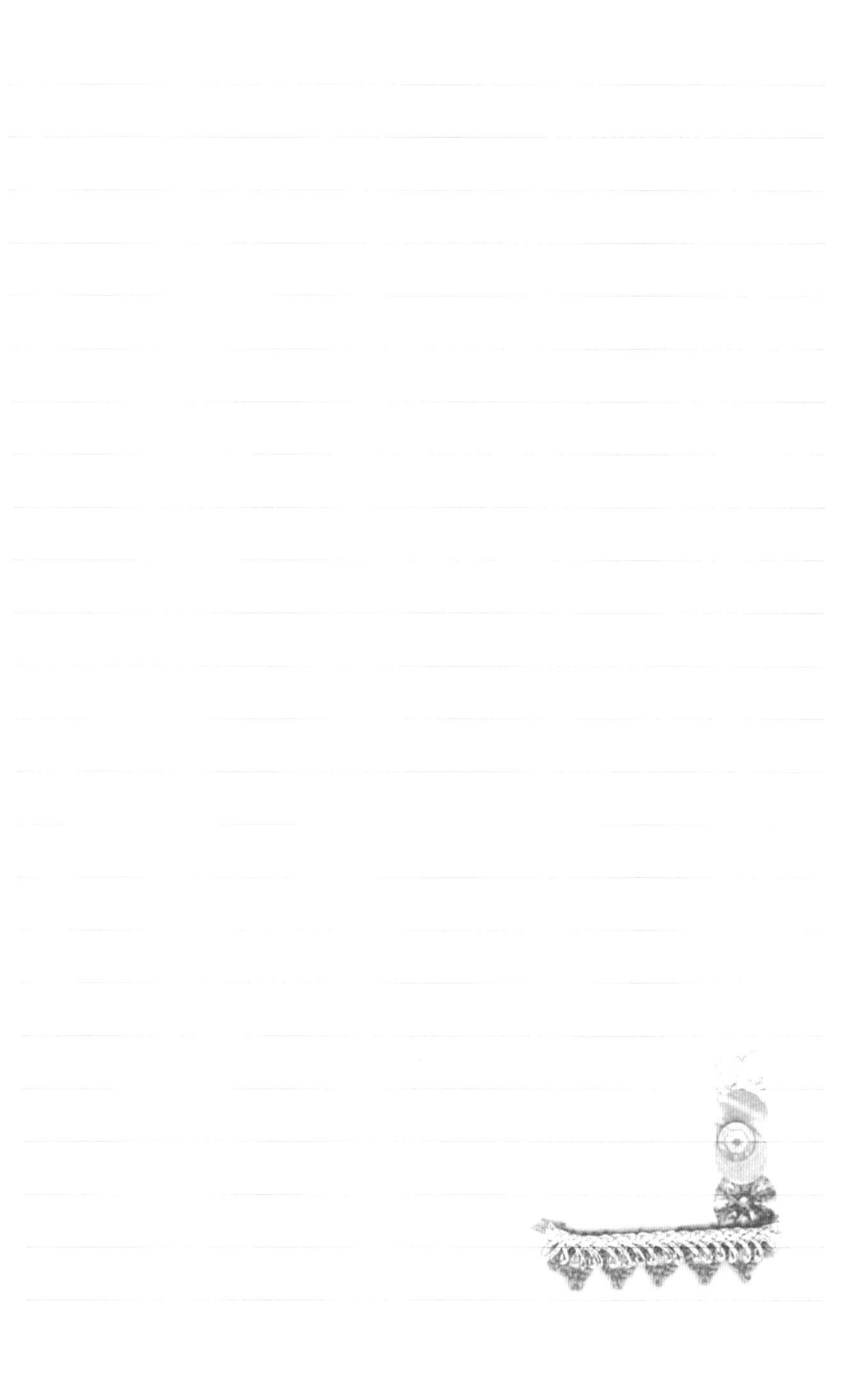

歌うしかない、踊るしかない

中島英樹さんがいなかったら生きていけないな、もう小説も書けないかもしれない、そう思っていたのに、この手はちゃんと文字を打ち続け、今年で最後となるこのDIARYをぶじに終えることができた。
とても悲しいけれど、それが生きるということだ。
生きていれば、手が、足が、内臓が、動いてくれる。そして毎日を作っていける。死ぬまではそれを続ける。倒れても心臓が動いているうちは続いている。そしてその全てを支えているものは、いつもの日常への愛着である。春が来て桜を見て、夏が来て海に行って、秋が来て空を見上げて、冬が来て大晦日になってあけましておめでとうと言う。
そのことのすごさ尊さを、どれだけ強調してもしすぎることはない。

仁木順平さんには、今回は思い切って仁木さんの感じをもっと打ち出してください、とお願いしてみたが、最後にふさわしいいい感じだと思う。
私たちの天使、コラージュの桜井由佳さんは、ぎっくり腰になったりする中、またもきれいで幸せで少し過激で、そしてとても優しく清い世界を作り出してくれた。
幻冬舎の私の総合担当の石原正康さん、大変な作業を心をこめてしてくださった壷井円さん、西山治希さん、撮影の嶋本麻利沙さん、ありがとうございました。

これを手に取ったみなさん、どうかどうか、少しでも「自分が」楽しいほうへ、明るい気持ちになることへ、舵を切りましょう。
まわりをふみつけにして楽しい思いをする、という楽しさではなく、自分が楽しいと思うことを素直に力みなくしていたら、あれ？　いつのまにかまわりもみんな楽しくなっているな、というようなことだ。
こだわりや怒りや執念は、自分の紡ぐなにか大切なものだけに向けて、他者に対するそれは重い荷物になって足を引っ張るから、置いていきましょう。
意地でも笑って、笑ってるうちに大丈夫になり、手ぶらで、鼻歌を歌いながら、1年を歩いていきましょう。
そのうちに思うはず。あれ？　思ったよりも遠くまで歩いてたな、気づいたらいろんなことがどうでもよくなって、体も軽いな。そうか、鼻歌を歌っていたからか、ステップを踏んでいたからか、そんなふうに。

いやなことがあって、雨に打たれ、愕然として、失望して、どろどろになって家に帰っても、このDIARYはのんびりとみなさんを待っています。
思ったことをちょっとだけ書いたり、終わった１日にただチェックをつけるだけでもいい。思いをつらつらといっぱい書いてもいい。なにも書かないで手に取ってちらっと見てまた置いてもいい。
いい気だけでできたこの子は、なにがあっても１年間、必ずあなたの人生に寄り添っています。祈りと願いをこめて。
私自身にはそんな力はないです。でも、言葉というものには絶対ある。
私が書いたものでさえない、私の自我も入っていない、言葉たちです。
５年間、共にすごすことができて幸せでした。
あなたの大変だった５年間をこのDIARYといっしょに部屋の片すみに置いておいてもらえたら、そしてたまに開いていただけたらありがたいです。
ありがとうございました！

吉本ばなな

吉本ばなな
1964年東京都生まれ。日本大学藝術学部文芸学科卒業。87年『キッチン』で第6回海燕新人文学賞を受賞しデビュー。89年『キッチン』『うたかた／サンクチュアリ』で第39回芸術選奨文部大臣新人賞、同年『TUGUMI』で第2回山本周五郎賞、95年『アムリタ』で第5回紫式部文学賞、2000年『不倫と南米』で第10回ドゥマゴ文学賞、22年『ミトンとふびん』で第58回谷崎潤一郎賞を受賞。著作は30か国以上で翻訳出版されており、海外での受賞も多数。noteにて配信中のメルマガ「どくだみちゃん と ふしばな」をまとめた文庫本も発売中。

カバー・本文デザイン　仁木順平
カバー・本文コラージュ　桜井由佳（wool, cube, wool!）
コラージュ撮影　嶋本麻利沙

本作は書き下ろしです。
祝日法などの改正により、祝日・休日が一部変更になることがあります。

BANANA DIARY 2024-2025　はなうた
2023年12月5日　第1刷発行

著者　吉本ばなな
発行人　見城 徹
編集人　石原正康
編集者　壷井 円

発行所　株式会社 幻冬舎　〒151-0051 東京都渋谷区千駄ヶ谷4-9-7
電話　03 (5411) 6211（編集）　03 (5411) 6222（営業）
公式HP　https://www.gentosha.co.jp/

印刷・製本所　株式会社 光邦

検印廃止
JASRAC 2308721-301

ISBN978-4-344-04212-4　C0095